Sami et Julie cherchent les œufs

Emmanuelle Massonaud

hachette
ÉDUCATION

Avec Sami et Julie, lire est un plaisir !

Avant de lire l'histoire

- Parlez ensemble du titre et de l'illustration en couverture, afin de préparer la compréhension globale de l'histoire.
- Vous pouvez, dans un premier temps, lire l'histoire en entier à votre enfant, pour qu'ensuite il la lise seul.
- Si besoin, proposez les activités de préparation à la lecture aux pages 4 et 5. Elles permettront de déchiffrer les mots les plus difficiles.

Après avoir lu l'histoire

- Parlez ensemble de l'histoire en posant les questions de la page 30 : « As-tu bien compris l'histoire ? »
- Vous pouvez aussi parler ensemble de ses réactions, de son avis, en vous appuyant sur les questions de la page 31 : « Et toi, qu'en penses-tu ? »

Bonne lecture !

Couverture : Mélissa Chalot
Maquette intérieure : Mélissa Chalot
Mise en pages : Typo-Virgule
Illustrations : Thérèse Bonté
Édition : Laurence Lesbre
Relecture ortho-typo : Jean-Pierre Leblan

ISBN : 978-2-01-290401-9
© Hachette Livre 2017.

Tous droits de traduction, de reproduction et d'adaptation réservés pour tous pays.

Les personnages de l'histoire

1. Montre le dessin quand tu entends le son (eu) comme dans œuf.

2. Montre le dessin quand tu entends le son (é) comme dans panier.

  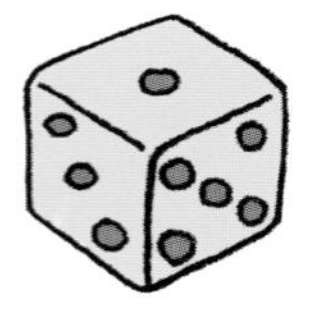 

3. Lis ces syllabes.

mon

gne

gni

4. Lis ces mots-outils.

mon **plutôt** **notre** **qui**

plus **tard** **partout** **chacun**

5. Lis les mots de l'histoire.

un œuf

les cloches

un lapin

un poisson

des sucreries

du chocolat

– Admirez mon œuf !

Ou plutôt mon œuvre !

dit Julie.

– Tu veux dire « notre »

œuvre ! s'indigne Sami.

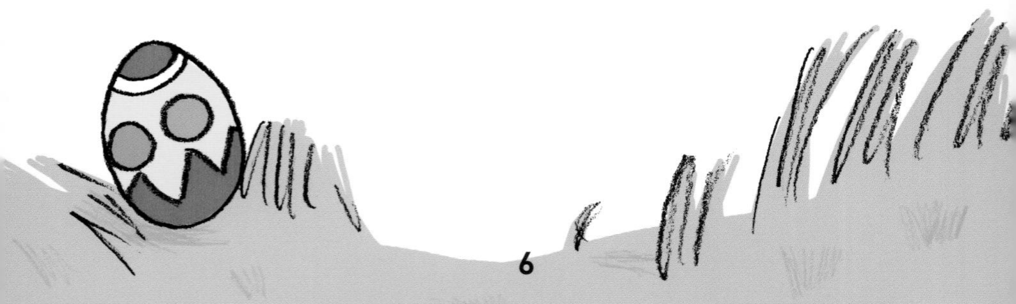

– Zut, cet œuf n'est

pas dur ! s'écrie Sami.

– Oups, j'ai dû oublier

de le cuire… dit Mamie.

– Hi, hi, hi : magnifique,

se moque Julie.

– Qui m’accompagne

à la gare chercher Emma ?

demande Maman.

– Moi ! Moi !

Une heure plus tard.

– Hourra, les cloches sont passées ! s'écrie Sami.

– Regardez, il y a des œufs en chocolat partout ! renchérit Julie.

– Je ne les vois pas... se désole Emma.

– Voilà un panier

pour chacun de vous !

dit Papi.

– Bonne chasse,

mes petits chéris !

dit Mamie.

– Non, non, Tobi,

pas de sucreries

pour les toutous, dit Papa.

– Quel flair ! Merci

mon Tobi chéri !

s'écrie Sami.

– T’as pas le droit, Papi,

c’est de la triche !

s’énerve Julie.

– Les papis ont tous

les droits… répond Papi.

Surtout celui de dévorer

ce délicieux poisson !

– Cherche plus, Emma,

tu brûles !

– Bravo ! la félicite Mamie.

– Ne mange pas tout

tout de suite ! rit Sami.

– Julie ! Tu pourrais

nous en laisser ! râle Sami.

– Je vous laisse les lapins,

c'est plutôt super gentil !

répond Julie.

– Lapins ? Où ça

des lapins ? Je ne vois pas

de lapins ! Petits, petits…

venez par ici…

chuchote Sami.

– Ah, j'ai senti une goutte…

s'étonne Mamie.

– Tous à l'abri ! crie Sami.

– Tobi ! Rentre tout

de suite ! hurle Papa.

BRRRRAAAOUM
TOBiii

– Sacrée giboulée !

dit Papi. Heureusement :

les œufs et les friandises

sont à l'abri !

As-tu bien compris l'histoire ?
1
Qui casse son œuf en le décorant ?
2
Est-ce que tu sais ce qu'est une « œuvre » ?
3
Qui aide Sami à trouver les œufs ?
4
Qui mange du chocolat au lieu de chercher ?
5
Pourquoi sont-ils tous obligés de rentrer à la maison à la fin de l'histoire ?

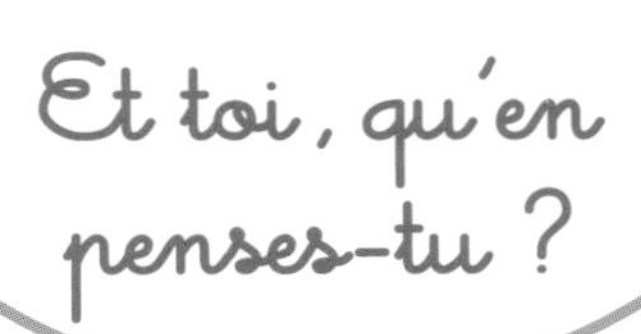

Et toi, qu'en penses-tu ?

Et toi, où cherches-tu les œufs à Pâques ?

Aimes-tu le chocolat ou préfères-tu les bonbons ?

As-tu déjà décoré de vrais œufs avec de la peinture comme Sami et Julie ?

Sais-tu ce que sont les « giboulées » ?

Début de CP

Niveau 1

a e i o u y é/è/ê

b d f l m n p r s t v

et/est un/une

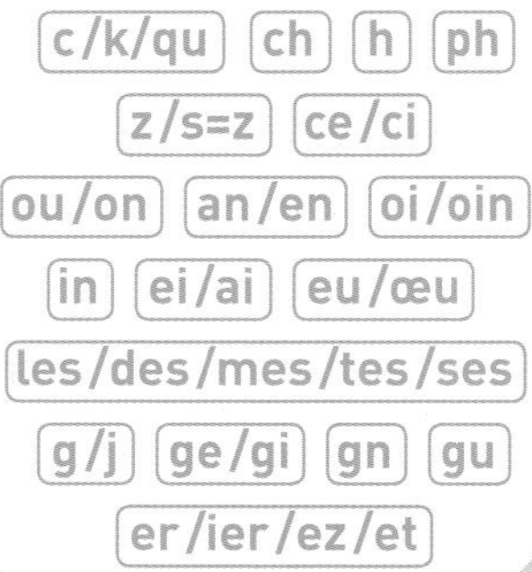

Milieu de CP

Niveau 2

c/k/qu ch h ph

z/s=z ce/ci

ou/on an/en oi/oin

in ei/ai eu/œu

les/des/mes/tes/ses

g/j ge/gi gn gu

er/ier/ez/et

Fin de CP

Niveau 3

ef/er/ec/ep/es

ill/aill/eill/euill/ouill x y w

sp/st/sc ion/ien

au/eau ain/ein ti=si

Achevé d'imprimer en Espagne
par UNIGRAF
Dépôt légal : février 2018
Collection nº 12 - Édition 04
68/4153/4